D0831115

Quelques autres beaux-livres Exley

Sagesse du Millenium

... et doucement vient la sagesse

Parlez-moi de solitude et de silence

Carpe Diem, savourons l'instant

Le bonheur existe

La paix soit avec toi

Dans la beauté, je marcherai

Paix et calme - petits textes choisis

Editions Exley, © 2003
13, Rue de Genval B 1301 Bierges
exley@interweb.be

© Helen Exely 2001
Ont collaboré à cette édition: Brigitte Arnaud,
Lise-Eliane Pomier, Thierry Marc et Bernadette Thomas
Imprimé en Chine. Tous droits réservés
ISBN 2-87388-268-9   DL 7003/2003/03
2   4   6   8   10   12   11   9   7   5   3

PETITS TEXTES CHOISIS

LA SAGESSE

aquarelles de Juliette Clarke

UN LIVRE-CADEAU HELEN EXLEY

EXLEY

PARIS • LONDRES

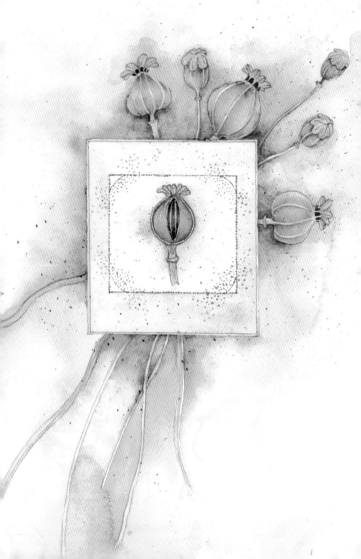

Un sens à la vie

Le premier pas vers la sagesse, c'est de parler
et d'agir conformément à ses convictions.

ANNELOU DUPUIS

–

L'indifférence est le géant invincible du monde.

OUIDA

–

Si je me perds, je lève les yeux vers l'étoile
polaire et je marche vers le nord.
Cela ne veut pas dire que j'espère atteindre
l'étoile polaire, mais seulement
que j'avance dans cette direction.

THICH NHAT HANH

–

Si nous sommes dans la bonne direction,
tout ce que nous avons à faire,
c'est de continuer de marcher.

SAGESSE BOUDDHISTE

–

Puisses-tu, dans chacun de tes pas,
reconnaître le but de ton voyage.

RALPH WALDO EMERSON (1803-1882)

LA VRAIE RICHESSE

La sagesse de la vie consiste à se
débarrasser de tout ce qui n'est pas essentiel.

LIN YUTANG (1895-1976)

—

Il sut être pauvre sans être sordide
ni inélégant... Il choisit d'être riche
en restreignant ses envies.

EMERSON (1803 – 1882),
À PROPOS D'HENRY DAVID THOREAU

—

J'habite une toute petite maison, mais
mes fenêtres s'ouvrent sur le vaste monde.

CONFUCIUS (551-479 av. J-C)

—

Et maintenant que je ne veux plus rien
posséder et être libre, voilà que soudain,
je possède toutes choses et que
mes richesses intérieures sont infinies.

ETTY HILLESUM (1914-1943)

—

Ce sont les choses les plus simples qui donnent à l'existence tout son sens, les choses fondamentales et belles, telles que l'amour et le sens du devoir, le travail et le repos, et la vie au contact de la nature.

LAURA INGALLS (1867-1957)

Vivre pleinement sa vie

La plus constante marque de la sagesse,
c'est une constante réjouissance

MICHEL DE MONTAIGNE (1533-1592),
"ESSAIS I, 26"

—

Vivre l'instant, voilà le bonheur; vivre
l'instant et ne faire aucune place au repentir
ou à l'approbation.

RALPH WALDO EMERSON (1803-1882)

—

La vie n'est-elle pas cent fois trop courte
pour que l'on se permette
d'être source d'ennui pour soi-même?

FRIEDRICH NIETZSCHE (1844-1900)

—

Nous sommes tous dans le caniveau,
mais certains d'entre nous lèvent les yeux
vers les étoiles.

OSCAR WILDE (1854-1900)

—

Qui a la vue courte ne peut avoir le cœur
ouvert; qui a l'esprit étroit ne peut marcher
à grandes enjambées.

PROVERBE CHINOIS

—

Si tu sais marcher, tu sais danser.
Si tu sais parler, tu sais chanter.

PROVERBE DU ZIMBABWE

—

Toute chose appartient à qui sait en jouir.

ANDRÉ GIDE (1869-1951)

—

ÊTRE VRAI AVEC SOI-MÊME

ON NE ME DEMANDE PAS DE GAGNER, MAIS D'ÊTRE VRAI. ON NE ME DEMANDE PAS DE RÉUSSIR, MAIS DE VIVRE CONFORMÉMENT À LA LUMIÈRE QUE JE DÉTIENS.

ABRAHAM LINCOLN (1809-1865)

–

Aucun plaisir n'est comparable à celui de camper sur le point de vue de la vérité.

FRANCIS BACON (1561-1626)

–

Dieu bénit l'homme, non pour avoir trouvé, mais pour avoir cherché.

VICTOR HUGO (1802-1885)

–

Je l'ai cherchée dans la révolte, les drogues, les régimes alimentaires, la religion, le mysticisme et ailleurs, pour m'apercevoir enfin que la vérité est toute simple, qu'elle est confortable, évidente et limpide.

CHICK COREA

–

LA SAGESSE EN TOUTE HUMILITÉ

La sagesse suppose qu'on garde conscience
de la fragilité de nos opinions et de l'instabilité
de ce sur quoi nous comptons le plus.

GÉRALD BRENAN, "PENSÉES EN UNE SAISON SÈCHE"

—

Quand bien même nous pourrions être savants
du savoir d'autrui, au moins sages ne pouvons
être que de notre propre sagesse.

MICHEL DE MONTAIGNE (1533-1592), "ESSAIS, I, 25"

—

Le propre de la connaissance est de parler, le
privilège de la sagesse est d'écouter.

OLIVER WENDELL HOLMES

C'est à ceux qui ont la plus grande maîtrise
du langage qu'il appartient de savoir se taire.

EXTRAIT DE "PARTAGER L'ESPÉRANCE"

–

Le véritable sage parle peu,
pense beaucoup, doute de sa sagesse.

ANNELOU DUPUIS

–

Ne pas comprendre relève parfois
du plus haut degré de compréhension.

BALTASAR GRACIAN (1601-1658)

–

Dans la quête de la sagesse, le premier pas est
le silence, le second l'écoute, le troisième
la mémoire, le quatrième la pratique et
le cinquième est de l'enseigner aux autres.

IBN GABIROL

Qu'est-ce que la sagesse ?

Brillante, inaltérable est la sagesse, facile à contempler pour ceux qui l'aiment et à trouver pour ceux qui la cherchent. Elle va au-devant de ceux qui la désirent en se donnant à connaître la première.

Qui s'est levé tôt pour la chercher ne se fatiguera pas, il la trouvera assise devant sa porte. Se passionner pour elle, c'est l'achèvement de la pleine intelligence; qui aura veillé pour elle sera vite délivré de tout souci.

Car elle va elle-même chercher ceux qui sont dignes d'elle; sur leurs chemins, elle leur apparaît avec bonté et vient à leur rencontre en chacune de leurs pensées.

Car son commencement, c'est le désir authentique d'apprendre, avoir le souci d'apprendre, c'est l'aimer, l'aimer, c'est observer ses lois, l'attention aux lois est la garantie de l'incorruptible, et l'incorruptible rend proche de Dieu.

SALOMON (v. 970-931 av. J.-C.),
"LIVRE DE LA SAGESSE", VI, 12-19
—

Beaucoup ont peur de la sagesse car elle
rend négligeables la puissance, la convoitise
et les trompettes de la renommée.

ODILE DORMEUIL

Nous paierons très cher le privilège d'être
des dieux par la puissance, avant d'avoir
mérité d'être des hommes par la sagesse.

JEAN ROSTAND (1894-1977)

"ÇA PASSERA… "

Si on me demandait de donner à l'humanité tout
entière un seul et unique conseil, le plus précieux,
je dirais ceci: sachez que les problèmes font
partie intégrante de la vie et, quand l'un d'eux
se présentera, relevez la tête et dites: "Je suis
plus fort que toi; tu ne peux pas m'abattre".
Ensuite, répétez-vous la phrase de tous
les réconforts: "Ça passera, comme le reste."

ANN LANDERS

—

En vérité, c'est dans l'obscurité qu'on découvre
la lumière, si bien que lorsque nous sommes dans la
peine, la lumière est plus que jamais proche de nous.

MAÎTRE ECKHART (1260-1328)

—

Le bonheur est salutaire pour le corps, mais c'est
le chagrin qui développe les forces de l'esprit.

MARCEL PROUST (1871-1922)

—

Vivre simplement

C'est une chose bien simple et bien modeste
que le bonheur : un verre de vin, une châtaigne
grillée, un petit feu de bois, le bruit de la mer...
Tout ce dont nous avons besoin pour reconnaître
que le bonheur est ici et maintenant, c'est d'un
cœur simple et modeste.

NIKOS KAZANTZAKIS (1885-1957)

–

Si tu sais te libérer du désir, tu parviendras à la paix intérieure.

LAO-TSEU (VIe SIÈCLE av. J.-C.)

–

Voilà que j'avance vers la tombe. Que je puisse
encore jouir d'une petite maison et d'un grand
jardin; de quelques amis et de beaucoup de livres,
tous vrais, tous sages, tous merveilleux aussi!

ATTRIBUÉ AU COMTE DE BUSSY-RABUTIN

—

Quand je n'avais rien à moi, j'avais les forêts
et les prairies, et la mer et le ciel avec les étoiles.
Depuis que j'ai acheté cette vieille maison et ce
jardin, je n'ai plus que cette maison et ce jardin.

ALPHONSE KARR (1808-1890)

—

Le bonheur n'est pas de posséder
des troupeaux et de l'or. C'est dans l'âme
qu'est le siège de la béatitude.

DÉMOCRITE (v. 460-370 av. J.-C.)

—

Des diamants autour du cou sont
une source d'angoisse.
Un collier de pâquerettes est une bénédiction.

LISA ROCHAMBEAU-LAPIERRE

—

LA SAGESSE DE NE RIEN FAIRE

Si tu es capable de passer une après-midi
sans rien faire, de façon totalement futile,
alors tu as appris à vivre.

LIN YUTANG (1895-1976)

–

On peut connaître le monde entier
sans jamais quitter son pays.
On peut trouver le chemin du ciel
sans regarder par la fenêtre.
Plus on va loin, moins on en sait.

LAO-TSEU (VIᵉ SIÈCLE av. J.-C.)

–

Si tu ne sais plus ce que loisir veut dire, attention !
C'est que tu es en train de perdre ton âme.

LOGAN PEARSALL SMITH (1865-1946)

–

Il n'est pas indispensable d'occuper chaque minute à travailler... Il y a quelque chose de sacré dans l'oisiveté, dont il est bien inquiétant, aujourd'hui, que nous ne sachions pas la cultiver.

GEORGE MACDONALD (1824-1905)

—

Les hommes partent au loin pour admirer le sommet des montagnes, les profondeurs de la mer, le cours imposant des rivières, l'immensité de l'océan et le mouvement infini des étoiles et, ce faisant, ils passent à côté d'eux-mêmes.

SAINT AUGUSTIN (354-430), "LES CONFESSIONS"

—

Ceux à qui le passé ne pèse pas, que l'avenir n'inquiète pas, ceux-là ont compris ce que veut dire vivre, et font le meilleur usage possible de leur existence; ils ont trouvé le secret du bonheur.

ALBAN GOODIER, "L'ÉCOLE DE LA VIE"

—

PRENDRE LES CHOSES COMME ELLES VIENNENT

Un temps pour chaque chose
et chaque chose en son temps sous
la voûte des cieux.

L'ECCLÉSIASTE, V, 1

—

Le bonheur et le chagrin sont frères
jumeaux, laisse-les venir et repartir
comme font les nuages.

YOGASWAMI (1872-1964)

—

Chacun doit ramer avec les rames qu'il a.

PROVERBE ANGLAIS

—

*Que Dieu me donne la sérénité d'accepter
les choses que je ne peux changer, le courage
de changer les choses si c'est possible,
et la sagesse de savoir faire
la différence entre les deux catégories.*

WILLIAM JAMES (1842-1910)

–

Le miracle n'est pas de voler dans
les airs ou de marcher sur les eaux.
C'est de marcher sur la terre.

PROVERBE CHINOIS

–

*Le torrent, sous prétexte qu'il s'agite,
est-il plus libre que le rocher ?*

PAROLE DE SAGESSE AMÉRINDIENNE

L'ART DE VIVRE

Dès que tu auras appris à croire en toi,
tu sauras comment on doit vivre.

JOHANN VON GOETHE (1749-1832)

—

Il y a deux degrés d'orgueil:
l'un où l'on s'approuve soi-même,
l'autre où l'on ne peut s'accepter.
Celui-ci est probablement le plus raffiné.

HENRI FRÉDÉRIC AMIEL (1821-1881)

—

On marche trop souvent les yeux rivés au sol,
On ferme trop souvent la paume de la main
Pour retenir des clés qui ne sont pas de sol,
Au lieu, pour se trouver, de se perdre en chemin.

ÉLISE DE MONTCLAR, "VANITAS"

—

La sagesse, une égalité d'âme que rien ne
peut troubler, qu'aucun désir n'enflamme.

NICOLAS BOILEAU (1636–1711)

–

Il est indispensable d'essayer
de se dépasser soi-même. C'est une occupation
qui peut prendre toute une vie.

CHRISTINE DE SUÈDE (1626-1689)

–

Tant que tu es vivant, continue
d'apprendre comment on doit vivre.

SÉNÈQUE (v. l'an 4 av. J.-C. - 65)

–

Le bonheur n'est pas de posséder beaucoup,
mais d'être content de ce qu'on a.

MARGUERITE, COMTESSE DE BLESSINGTON

–

Le secret du bonheur n'est pas de faire ce
que l'on aime, mais d'aimer ce que l'on fait.

J. M. BARRIE (1860-1937)

–

Dans le silence...

La sérénité n'a rien de la frivolité, ni de la complaisance: c'est au contraire le plus haut degré de la connaissance et de l'amour, l'affirmation que toute réalité est en équilibre au bord du gouffre et de l'abîme.

HERMANN HESSE (1877-1962)

–

C'est dans le silence seulement que tu laisseras une infinité d'éblouissements venir jusqu'à toi.

ODILE DORMEUIL

–

L'esprit ne marche droit que lorsqu'on est en paix avec soi-même.

SÉNÈQUE (v. l'an 4 av. J.-C. - 65)

–

Rien n'est plus fort que
la charité; rien n'est plus charitable
que la force véritable.

FRANÇOIS DE SALES (1567-1622)

–

Plus que mille mots qui ne servent à rien,
mieux vaut un seul mot qui apporte la paix.

LE DHAMMAPADA (ENSEIGNEMENTS DE BOUDDHA)

–

Vis en paix, et alors seulement tu pourras
donner la paix aux autres: un homme de paix
est plus utile au monde qu'un homme instruit.

THOMAS À KEMPIS (1379-1471)

–

Celui qui sourit au lieu de se mettre
en colère est toujours le plus fort.

SAGESSE JAPONAISE

–

La toile de la vie

LE SAVOIR N'A PAS D'AUTRE PORTE QUE
CELLE QUE LUI OUVRE LA NATURE
ET LES SEULES VÉRITÉS SONT CELLES
QUE LA NATURE NOUS ENSEIGNE.

LUTHER BURBANK

—

Tout ce qui touche la terre touche les enfants
de la terre. L'homme ne tisse pas la toile de la vie.
Il n'en est qu'un fil parmi d'autres. Tout ce qu'il
fait à la toile, c'est à lui-même qu'il le fait.

CHEF SEATTLE (1786-1866)

—

La terre nous en apprend plus long sur nous que tous les livres. Parce qu'elle nous résiste. L'homme se démontre quand il se mesure à l'obstacle.

ANTOINE DE SAINT-EXUPÉRY (1900-1944)

–

Dans la nuit noire, sur une pierre noire, une fourmi noire. Dieu la voit.

PROVERBE ARABE

–

Reste vrai envers la terre.

FRIEDRICH NIETZSCHE

–

Voir un Monde dans
un Grain de Sable
Et un Ciel dans
une Fleur des Champs...

WILLIAM BLAKE (1757-1827)

–

Seuls ceux qui voient l'invisible sont
capables de faire l'impossible.

Phrase mise en exergue par L'ONU
au Protocole de KYOTO (1995)

—

Connais-toi toi-même et tu connaîtras
l'univers et les dieux.

SOCRATE (v. 470-399 av. J.-C.), INSCRIPTION AU
FRONTON DU TEMPLE DE DELPHES

—

On a tous des petits cailloux blancs sur
notre chemin, il faut simplement y être
attentif. Parfois, on ne les voit pas parce
que l'on n'est pas axé là-dessus ou que
l'on ne veut pas. Cela nous fait peur, ou
bien l'on n'y croit pas. Mais une fois que
l'on en trouve un, tous les autres suivent.
Il suffit de se pencher pour les ramasser.

NADINE MONFILS

Tous fous ?

Tout le monde est fou, au moins cinq
minutes par jour. La sagesse consiste
à ne pas outrepasser cette limite.

ELBERT HUBBARD

–

Qui vit sans folie n'est pas si sage qu'il croit.

LA ROCHEFOUCAULD (1613-1680)

–

Il y a plus de fous que de sages,
et dans la sagesse même, il y a plus
de folie que de sagesse.

NICOLAS DE CHAMFORT (1740-1794)

LA SAGESSE DE L'AMOUR

La sagesse n'est pas dans la raison, mais dans l'amour.

ANDRÉ GIDE (1869-1951)

–

Garde comme un trésor l'amour que tu as reçu.
Il te restera toujours, bien après que
ta bonne santé et ton or auront disparu.

OG MANDINO

–

Nous essayons de tout donner à nos enfants,
alors que la seule chose dont ils ont vraiment
besoin, c'est d'amour et de certitude.

LISA ROCHAMBEAU-LAPIERRE

–

*Le bonheur suprême de la vie
est la conviction d'être aimé.*

VICTOR HUGO (1802-1885)

–

Je le répète avec le vieux proverbe : celui qui aime
et qui est aimé est à l'abri des coups du sort.

ALFRED DE MUSSET (1810-1857)

–

*Le succès vous apporte beaucoup de choses,
mais pas cette grande chose à l'intérieur de vous
que donne l'amour.*

SAMUEL GOLDWYN (1882-1974)

–

Rire souvent et sans restriction; s'attirer le respect
des gens intelligents et l'affection des enfants; tirer
profit des critiques de bonne foi... Savoir qu'un
être au moins respire mieux parce que vous êtes
passé en ce monde. Voilà ce que j'appelle réussir.

RALPH WALDO EMERSON (1803-1882)

–

LES LEÇONS DU CHAGRIN

Les chagrins sont nos meilleurs maîtres.
On voit beaucoup plus loin à travers
une larme que dans un télescope.

LORD BYRON (1788-1824)

—

Trop de soleil fabrique un désert. Dans le
chagrin, nous découvrons ce qui compte
vraiment ; dans le chagrin, nous nous
découvrons tels que nous sommes.

SAGESSE ARABE

—

... notre chemin vers la sagesse se mesure aux
larmes que nous avons versées.

BULWER

—

Les vrais bienfaits nous apparaissent
souvent sous forme de souffrances,
de chagrins et de déceptions...

JOSEPH ADDISON (1672-1719)

La paix la plus parfaite qu'on peut atteindre
dans cette misérable vie consiste à supporter
les souffrances avec humilité
et patience et non à échapper à l'adversité.

THOMAS À KEMPIS (1379-1471)

–

Tu pleureras l'heure où tu pleures
Qui passera trop vivement
Comme passent toutes les heures.

GUILLAUME APOLLINAIRE (1880-1918)

–

Au plus profond de l'hiver,
j'ai finalement appris,
qu'il y avait en
moi un invincible été.

ALBERT CAMUS
(1913-1960)

DE L'AUDACE !

L'on ne découvre pas de nouvelles terres sans
accepter de perdre de vue la côte pour longtemps.

ANDRÉ GIDE (1869-1951)

–

Qui craint de souffrir,
il souffre déjà de ce qu'il craint.

MICHEL DE MONTAIGNE (1533-1592), ESSAIS

–

Lorsque nous faisons de notre mieux,
nous ne savons jamais d'avance quel miracle
se cache dans notre propre vie,
ou dans la vie de quelqu'un d'autre.

HELEN KELLER (1880-1968)

–

Ne suis pas les routes toutes tracées.
Au contraire, va où il n'y a pas de route
et commence à creuser le chemin.

AUTEUR ANONYME

—

Pour faire œuvre utile en ce monde, il ne
faut pas rester en arrière, tout tremblant,
en pensant au froid et au danger.
Il faut se jeter dans la mêlée
et se démener de toutes ses forces.

SYDNEY SMITH

—

N'aie pas peur de voir ta vie s'arrêter;
crains plutôt qu'elle ne commence jamais.

GRACE HANSEN

—

LA BONTÉ

La bonté est plus importante que la sagesse,
et le fait d'en prendre conscience est
le commencement de la sagesse.

THEODORE ISAAC RUBIN

–

Ceux qui donnent ont tout, ceux qui
retiennent n'ont rien.

PROVERBE HINDOU

–

Tout ce qui n'est pas donné est perdu.

PROVERBE INDIEN

Le bouddhisme met l'accent sur l'amour infini
envers la totalité des êtres. Une compassion
d'autant plus puissante qu'elle naît
de la compréhension de ce que la nature
de bouddha existe en chaque être.

MATTHIEU RICARD INTERVIEWÉ PAR OLIVIER LERNER

–

L'un des plus grands secrets de la vie,
c'est que les choses vraiment importantes
sont celles que nous faisons pour les autres.

LEWIS CARROLL (1832-1898)

–

*C'est une bien belle compensation, dans la vie,
qu'aucun homme ne puisse sincèrement essayer
d'aider autrui sans s'aider lui-même.*

EMERSON (1803-1882)

–

Les mots gentils sont simples et faciles à
prononcer, mais leur écho est sans fin.

MÈRE TERESA (1910-1997)

Leçons de courage

Il ne faut rien craindre dans la vie,
il faut chercher à comprendre.

MARIE CURIE (1867-1934)

–

On acquiert un peu plus de courage,
de force et de confiance en soi chaque fois
que l'on se décide réellement à regarder
la peur dans les yeux. Alors, on peut à bon
droit se dire: "J'ai survécu à cette terrible
épreuve. Je résisterai
mieux encore la prochaine fois".

ELEANOR ROOSEVELT (1884-1962)

–

Contre la peur,
un seul remède, le courage.

LOUIS PAUWELS

–

Tirez les leçons du passé.
N'arrivez pas au terme de votre
vie pour vous apercevoir, simplement,
que vous n'avez pas vécu.
Car beaucoup sont sur le point
de quitter l'espace de cette terre et,
lorsqu'ils regardent en arrière,
c'est pour voir la joie et la beauté
dont ils ont été privés, par la faute
des peurs qu'ils ont entretenues.

"EAU CLAIRE", CHEF INDIEN

Continuons à grandir.

Sois toujours prêt à devenir.

WALT DISNEY

–

Ce n'est que dans le progrès, la réforme
et le changement que l'on peut trouver,
paradoxalement, la vraie sécurité.

ANNE MORROW LINDBERGH (1906-2001)

–

Je suppose que les moments que l'on apprécie
infiniment sont ceux, et seulement ceux,
où l'on assouplit à l'intérieur de soi
quelque chose qui demande à être assoupli.

GEORGIA O'KEEFFE (1887-1986)

–

Il n'y a qu'une seule satisfaction véritable, c'est de
grandir sans cesse à l'intérieur de soi, de devenir
plus juste, plus vrai, plus généreux, plus simple,
plus humain, plus chaleureux et plus actif.

JAMES FREEMAN CLARKE (1810-1888)

Ne sois jamais content de ce que tu es.
Car chaque fois que tu es satisfait de toi-même,
tu restes sur place. Si tu dis : " C'est assez ",
tu es perdu. Continue d'en faire plus, continue
de marcher, continue d'avancer, ne t'arrête pas,
ne te retourne pas, ne quitte pas le droit chemin.

SAINT AUGUSTIN (354-430)

—

NE CRAINS PAS
D'AVANCER
LENTEMENT.
CRAINS SEULEMENT
DE RESTER IMMOBILE.

SAGESSE CHINOISE

—

LES LIVRES-CADEAUX HELEN EXLEY
de petits chefs-d'œuvre

Voilà vingt-six ans qu'HELEN EXLEY crée de "beaux-petits-livres-cadeaux"; quarante-huit millions d'exemplaires ont été achetés en plus de trente langues! Comme ils sont destinés à être offerts, HELEN EXLEY ne ménage aucun effort, aucune dépense pour que chaque ouvrage - même ceux d'humour - soit vraiment le plus touchant, le plus profond possible, et plein de signification pour celui qui l'offre comme pour celui qui le reçoit.

Comme nombre d'entre nous, Helen Exley attache beaucoup d'importance à ce qui touche aux *relations et aux valeurs humaines, au sens de l'existence, à la beauté*, et toute son œuvre s'y consacre.

HELEN est entourée de toute une équipe qui recherche des citations et des textes courts dans toutes les cultures et de toutes les époques. Avec un soin infini et un discernement attentif, elle compose chaque page de chaque livre en veillant à rehausser chaque texte par une mise en page et une illustration qui puisse donner à l'ouvrage toute sa profondeur et toute sa sagesse.

En étroite collaboration avec HELEN EXLEY, les éditeurs français, mus par la même passion, ont choisi d'y ajouter un certain nombre de citations émanant directement de leur patrimoine.

Vous avez entre les mains le résultat de ces efforts. Si vous avez aimé ce livre, parlez-en autour de vous. Nous préférons consacrer nos efforts à faire de bons livres plutôt qu'une publicité tapageuse, persuadés que rien au monde ne vaut le bouche-à-oreille entre amis.

N'hésitez pas à nous contacter si vous souhaitez recevoir la liste complète de nos petits-livres (près de 300 titres en 23 collections) ou nous faire part de vos réactions.